Ains

Max veulent

Dominique de Saint Mars

Serge Bloch

CALLIGRAM

CHRISTIAN GALLIMARD

Merci à Renaud de Saint Mars
pour sa collaboration

Imprimé en Italie
ISBN : 978-2-88445-424-7

Encore une mauvaise note. Je suis nulle ! Et de toute façon, elle me déteste, la maîtresse !
Demande à tes parents de t'aider. Moi, ma mère me console quand je suis triste. Pas toi ?

Euh... non... ! Enfin, si !

Pourquoi elle ne m'appelle plus « ma puce adorée », « mon petit soleil » ou « mon hirondelle en sucre » ?
Bonjour, Lili.

Tu sais, aujourd'hui...
DRING !
Allô !

... je suis un peu triste...
BRAOUU...

BRAOUU... BRAOU... BRAOU...BRAOUU... BRAOU...
Attends, je ne t'entends pas !
Qu'est-ce que tu as dit ?

Il n'y a que toi qui
me comprennes...

Je voudrais aller sur tes genoux...
Tu ne crois pas que tu es un peu lourde ?

Alors, Max, t'as marqué ?
Rien ! Et on a eu un penalty à cause de moi. Je suis trop nul !

Maman, un bisoooouuu !
Ah non, Max, tu es trop crasseux !

Ben si c'est ça, l'amour !
Viens que je t'embrasse quand même, tu me fais rire !
Et moi ?

Mais quel pot de colle, aujourd'hui !
Je ne t'ai pas vue de la journée. Tu m'as manqué. Et moi, je t'énerve... !
Hop !

Mais j'ai plein de travail, tu sais.
Moi aussi...
Et moi donc !

En plus, j'ai eu un 4 en dictée.
Mais tu me l'as déjà dit.

C'en est un autre !
Il faut peut-être que tu travailles plus !
Ah, voilà Paul !

Attention, les enfants ! Laissez-moi un peu tranquille !
On dirait que ça ne te fait pas plaisir de nous voir !

Si ! Mais... tout à l'heure... Je suis fatigué.
Toujours tout à l'heure... Jamais maintenant !

UN PEU PLUS TARD...
Papa, je t'ai fait un porte-bonheur pour ton bureau.
Tu trouves pas qu'il est joli, mon nouveau pyjama, papa ?
Très joli !

Mais tu ne me regardes même pas ! Je pleurais presque quand tu es arrivé, et tu ne l'as pas vu !
C'est vrai ? Pardon, ma Lili ! Merci, Max. Alors... ?

D'abord, un petit massage des pieds ! J'ai trop joué au foot. Mais ils sont propres... !
Oui, moi aussi, un massage indien !
Seulement deux minutes ! Je voudrais voir les infos.

MOI D'ABORD !
MOI D'ABORD !
Du calme, chacun son tour !

Papa, on fait une bagarre ?
Minute !
Et voici le journal télévisé...

Attendre, toujours attendre...

Maman, tu me fais un doudou ?
Dors vite, ma pupuce !

Assieds-toi... Tu as l'air pressée.
Je dois appeler Aline pour le zoo demain.

Mais on ne devait pas aller faire des courses toutes les deux ?

Bonsoir, Max !
Alors, pas de câlins ? Heureusement qu'on a un papa de secours !

Bonsoir, les enfants !
Tu nous lis une histoire qui fait peur, papa ?

Oh, vous êtes assez grands pour lire tout seuls !
Oh non, toi !

J'aime bien quand j'ai peur tout près de toi.

Et les câlins, c'est bon pour dormir. Après, on est tout ramolli... Pfuiit !
Oh, ce soir, je suis fatigué.

Ils sont de plus en plus souvent fatigués.
Il faudrait les coucher plus tôt !

Et ils font de moins en moins de câlins.
Ils deviennent des monstres sans cœur.
Il n'y a que Mamie qui fasse des câlins dans cette famille ! Et Pluche !

LE LENDEMAIN, AU ZOO...
Ce qu'elle est mignonne !
Regarde, Isis, c'est la maman avec son bébé !
C'est chouette pour les câlins, une maman kangourou !

Viens, mon frère !

Regarde, elle lui fait des câlins.
Elle le bichonne et elle lui enlève les poux.

Il a de la chance...
Mais tu n'as pas de poux !

Regarde, ils se blottissent les uns contre les autres. C'est tendre, les mammifères !
Nous sommes tous des mammifères !

Tu viens avec moi, ma chérie ?
?!
?!

Bon, si on rentrait ?

PUIS C'EST LE RETOUR...
Oh, ils sont doux ces petits pieds ! Comme ceux de Lili, avant !
Arrête, maman, tu l'uses !

On dirait qu'elle l'aime plus que nous, ça m'agace !
Ah oui, tous ces pourléchages ! Ça me donne mal au cœur !

Peut-être qu'ils ne nous aiment plus et qu'ils font exprès d'être occupés.
Ou ils nous trouvent trop grands.

On pourrait tomber malades, ils sont plus gentils quand on est malades...
Bof... Je ne sais plus quoi faire.

Dis, maman, je te fais penser à quoi comme ça ?
Une tétine, une queue, des oreilles... Mais qu'est-ce que c'est Lili ?

C'est un petit kangourou, maman... !
Ah oui, mais pourquoi un petit kangourou ?

Parce que ce sont les enfants les plus aimés de leurs parents.
Alors, ça veut encore dire qu'on ne vous aime pas assez ? C'est ridicule !

... Tu vois !

Alors, c'est vrai, tu n'aimes pas les petits kangourous !
Comment ça ? Toi aussi... ?

On est trop grands pour toi ! Tu n'as plus envie de croquer nos petits pieds !
Mais qu'est-ce que c'est que cette histoire ?

En attendant, dès que ça t'arrange, tu nous traites comme des bébés !

Tiens, mais où est Lili ?
LILI !!!
Elle n'est pas dans sa chambre ?

Ce n'est pas possible. Elle a dû être vexée !
Tu as été méchante avec elle ?

Pas tellement plus qu'avec moi...

Mais Lili ! Qu'est-ce que tu fais là ?

Pourquoi... avec le chien ?
C'est le seul qui soit toujours prêt à me faire des câlins !

Je n'avais pas compris, pardon...
Moi non plus, mais je vais te chouchouter, toi aussi Max !
OUUUH !

Mes enfants adorés, il faut que vous soyez sûrs qu'on vous aime plus que tout !
Et pour toujours !
Et même quand vous n'avez pas le temps !!!

Hum, c'est bon à croquer, les petits enfants !
Moi, j'aime me sentir enveloppée ! C'est comme un nid. On se sent moins seul !
Et c'est doux, les caresses !
La vie est belle !

Toi aussi, tu aimais les câlins quand tu étais petite ?
Oui, mais mes parents ne me câlinaient pas souvent.
Moi, mon grand-père était tendre ! Quand j'étais triste, il m'appelait son « petit tigre » !

Moi, j'adore même quand tu m'appelles « mon bébé » ! Mais pas devant les copains !

Regardez, tous les deux, on dirait des amoureux !
Ah non, c'est mon mari à moi !

C'est vrai, on ne peut pas être amoureux de son enfant, ni de son parent.

Je sais, on n'a pas le droit de se marier avec sa mère. Dommage... Maman, c'est la plus belle !

Une maman ou un papa peut faire des câlins dans le cou de sa fille ou de son fils mais...
... mais pas sur les zizis ni sur les derrières, on sait !

Moi, d'ailleurs, j'aime pas me montrer toute nue !

Ça, je sais, madame devient pudique !

Mon prof de sport, l'autre jour, il m'a prise par l'épaule. On pleurait parce qu'on avait perdu !
Ça, c'est un geste affectueux, pour vous consoler. Et ce n'était pas en secret !

Et si ça me gêne qu'on m'embrasse ou qu'on me touche, je peux le dire ?
Bien sûr, tu le dis et tu t'éloignes en souriant.

Et si ça te paraît grave, tu en parles à un adulte et pas seulement à tes copines.
Moi, je dis : « Pas de bisous, j'ai un rhume ! »

En tout cas, il n'y a pas que les câlins pour montrer qu'on vous aime...
Oui, maintenant que vous êtes grands, on s'intéresse aussi à ce que vous pensez, à ce que vous faites.
Alors il faut tout ça, quoi !

L'important, c'est de vous aider à réussir par vous-mêmes.

Pour qu'on ait confiance en nous ! J'y arrive bien, moi !

Ah, pfff... J'étouffe un peu.

Et toi, tu piques, papa !

Alors, c'est fini,
les câlins ?
Oui, papounet ! Moi, je
me sens mieux. Hé Max,
si on mettait « Mon
cœur à Santiago » ?
Eh oui, la télé,
ça ne passe
qu'une fois !

On est comme
Pompon : il se sauve
quand il a sa dose
de câlins !

C'est la vie !

Là, on se sent grands. Mais on sera peut-être encore souvent petits... !
Comme tu dis, papa, il n'y a pas que la soupe qui fait grandir...
Il y a aussi l'amour !

Et toi...

Est-ce qu'il t'est arrivé la même histoire qu'à Max et Lili ?

Réponds aux deux questionnaires...

Ça te fait du bien d'être câliné ? regardé ? As-tu besoin de cette tendresse pour te sentir aimé ? En as-tu assez ?

Si tu n'en as pas assez, te sens-tu plus agressif ? En cherches-tu ailleurs que dans ta famille ? ou avec les animaux ?

En as-tu besoin souvent ? après une tristesse, une dispute ? Penses-tu que les filles et les garçons en ont autant besoin ?

Oses-tu en demander ? As-tu peur qu'on se moque de toi ?
Penses-tu qu'on en fait plus à ton frère ou à ta sœur ?

Trouves-tu que tes parents ont l'air contents d'en faire ou qu'ils sont énervés, pressés ou qu'ils pensent à autre chose ?

Y a-t-il des câlins qui te gênent ? Si un adulte te touche à des endroits intimes, sais-tu te défendre, dire NON ?

Tu es content comme ça ou tu n'en as pas besoin ou tu n'aimes pas ça ? Tu te trouves trop grand ? Ça te dégoûte ?

Tes parents sont-ils trop enervés ou trop câlins ?
Préférerais-tu qu'ils soient plus tendres entre eux ?

Préfères-tu plutôt qu'on te dise des mots gentils pour t'aider à avoir confiance en toi, à réussir, à être heureux ?

Te rappelles-tu de tous les moments tendres passés avec tes parents, quand tu étais plus petit ou les as-tu oubliés ?

Trouves-tu qu'aller à bicyclette, voir un film, bricoler, tout seul avec son père ou sa mère, c'est bon comme les câlins ?

As-tu un mauvais souvenir de câlins faits par quelqu'un que tu n'aimais pas ou qui t'ont gêné ? En as-tu parlé ?

**Après avoir réfléchi
à ces questions
sur les câlins,
tu peux en parler
avec tes parents ou tes amis.**

Dans la même collection

1 Lili ne veut pas se coucher
2 Max n'aime pas lire
3 Max est timide
4 Lili se dispute avec son frère
5 Les parents de Zoé divorcent
6 Max n'aime pas l'école
7 Lili est amoureuse
8 Max est fou de jeux vidéo
9 Lili découvre sa Mamie
10 Max va à l'hôpital
11 Lili n'aime que les frites
12 Max raconte des « bobards »
13 Max part en classe verte
14 Lili est fâchée avec sa copine
15 Max a triché
16 Lili a été suivie
17 Max et Lili ont peur
18 Max et Lili ont volé des bonbons
19 Grand-père est mort
20 Lili est désordre
21 Max a la passion du foot
22 Lili veut choisir ses habits
23 Lili veut protéger la nature
24 Max et Koffi sont copains
25 Lili veut un petit chat
26 Les parents de Max et Lili se disputent
27 Nina a été adoptée
28 Max est jaloux
29 Max est maladroit
30 Lili veut de l'argent de poche
31 Max veut se faire des amis
32 Émilie a déménagé
33 Lili ne veut plus aller à la piscine
34 Max se bagarre
35 Max et Lili se sont perdus
36 Jérémy est maltraité
37 Lili se trouve moche
38 Max est racketté
39 Max n'aime pas perdre
40 Max a une amoureuse
41 Lili est malpolie
42 Max et Lili veulent des câlins
43 Le père de Max et Lili est au chômage
44 Alex est handicapé
45 Max est casse-cou
46 Lili regarde trop la télé
47 Max est dans la lune
48 Lili se fait toujours gronder
49 Max adore jouer
50 Max et Lili veulent tout savoir sur les bébés
51 Lucien n'a pas de copains
52 Lili a peur des contrôles
53 Max et Lili veulent tout tout de suite !
54 Max embête les filles
55 Lili va chez la psy
56 Max ne veut pas se laver
57 Lili trouve sa maîtresse méchante
58 Max et Lili sont malades
59 Max fait pipi au lit
60 Lili fait des cauchemars
61 Le cousin de Max et Lili se drogue
62 Max et Lili ne font pas leurs devoirs
63 Max va à la pêche avec son père
64 Marlène grignote tout le temps
65 Lili veut être une star
66 La copine de Lili a une maladie grave
67 Max se fait insulter à la récré
68 La maison de Max et Lili a été cambriolée
69 Lili veut faire une boum
70 Max n'en fait qu'à sa tête
71 Le chien de Max et Lili est mort

72 Simon a deux maisons
73 Max veut être délégué de classe
74 Max et Lili aident les enfants du monde
75 Lili se fait piéger sur Internet
76 Émilie n'aime pas quand sa mère boit trop
77 Max ne respecte rien
78 Max aime les monstres
79 Lili ne veut plus se montrer toute nue
80 Lili part en camp de vacances
81 Max se trouve nul
82 Max et Lili fêtent Noël en famille
83 Lili a un chagrin d'amour
84 Max trouve que c'est pas juste
85 Max et Lili sont fans de marques
86 Max et Lili se posent des questions sur Dieu
87 Max ne pense qu'au zizi
88 Lili fait sa commandante
89 Max décide de faire des efforts
90 Lili a peur de la mort
91 Lili rêve d'être une femme
92 Lili a la passion du cheval
93 Max et Lili veulent éduquer leurs parents
94 Lili veut un téléphone portable
95 Le tonton de Max et Lili est en prison
96 Max veut sauver les animaux
97 Lili est stressée par la rentrée
98 Max et Lili veulent être gentils
99 Lili est harcelée à l'école
100 Max et Lili ont des pouvoirs magiques
101 Max boude
102 Max et Lili font du camping
103 Max et Lili en ont marre de se dépêcher
104 Lili a trop honte
105 Lili invite une copine en vacance
106 Max et Lili veulent être populaire
107 Max et Lili trouvent leur cousin angoissé
108 Max et Lili vont chez Papy et M